S0-BOC-837

El naranjo que no daba naranjas

**Versión de Zoraida Vásquez y
Julieta Montelongo**

Ilustraciones de Irma Delgado

WASHINGTON SCHOOL
123 SOUTH GARFIELD
MONDELEIN, IL 60060

EDITORIAL
TRILLAS

México, Argentina, Colombia,
España, Puerto Rico,
Venezuela

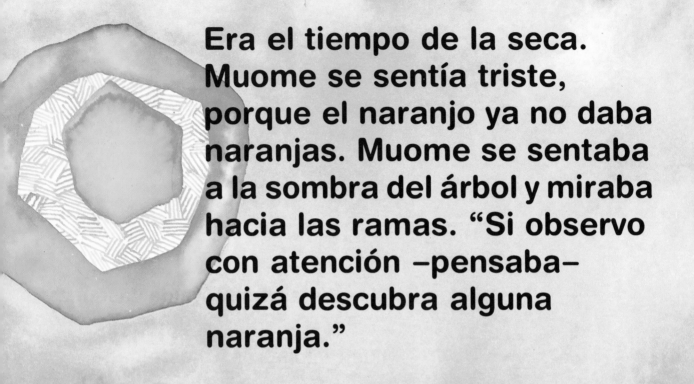

Era el tiempo de la seca. Muome se sentía triste, porque el naranjo ya no daba naranjas. Muome se sentaba a la sombra del árbol y miraba hacia las ramas. "Si observo con atención –pensaba– quizá descubra alguna naranja."

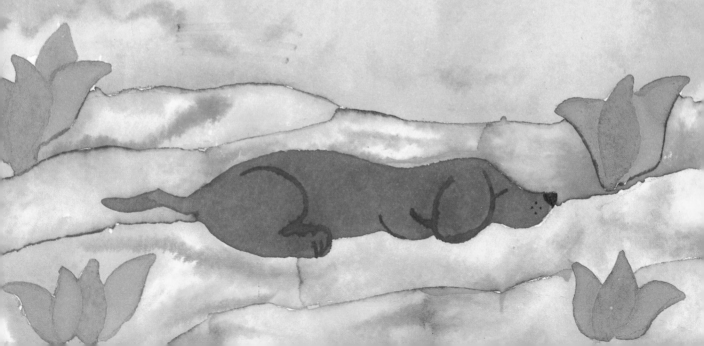

3

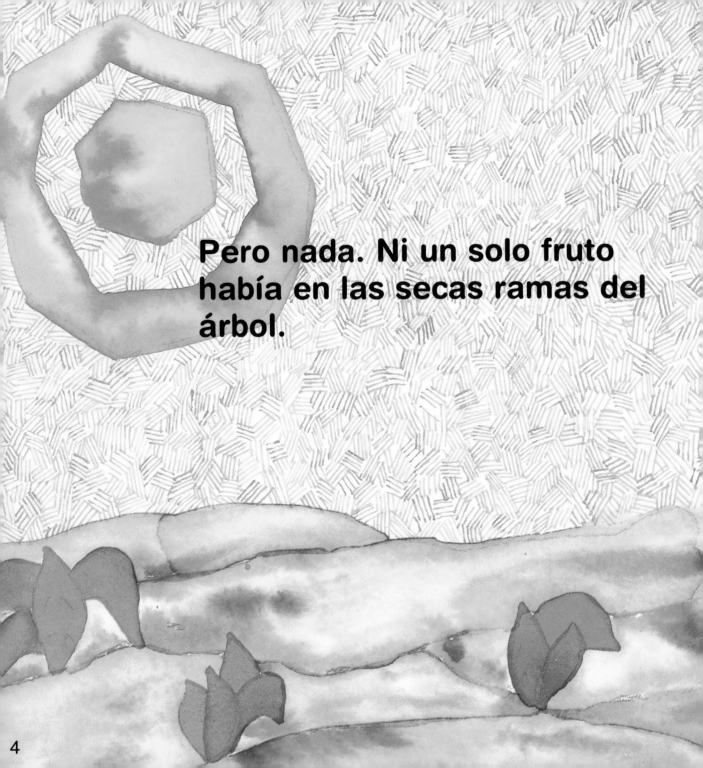

Pero nada. Ni un solo fruto había en las secas ramas del árbol.

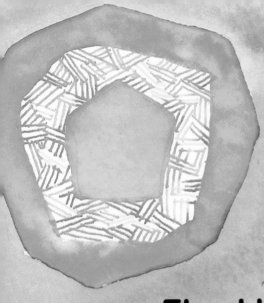

El sol brillaba cada vez con más fuerza. La madera del naranjo crujía y Muome tenía los labios resecos.

Cuando cerraba los ojos, imaginaba que una naranja caía sobre su cabeza. Soñaba que la abría y brotaba mucho jugo. Muome y su perrita bebían el jugo. ¡Pero qué triste se sentía al despertar!

WASHINGTON SCHOOL
122 SOUTH GARFIELD
MUNDELEIN, IL 60060

9

–¿Cuándo podré comer una naranja? –preguntó Muome a su madre–. Ya he olvidado su sabor.

–¡Yo no sé! –respondió su madre–. Ese árbol no quiere darnos sus frutos.

El padre de Muome, por su parte, decía impaciente:
–Es tonto tener un naranjo que no da naranjas.
La familia de Muome tenía un pozo con suficiente agua, pero no querían gastarla en un naranjo que no daba naranjas.

Un día, Muome se acercó al árbol y le preguntó:
—¿Por qué tienes esa cara?
—Porque no me das agua.
—¿Y cómo te voy a dar agua, si no me das naranjas?

–No te daré naranjas si tú no me das agua –replicó el árbol.

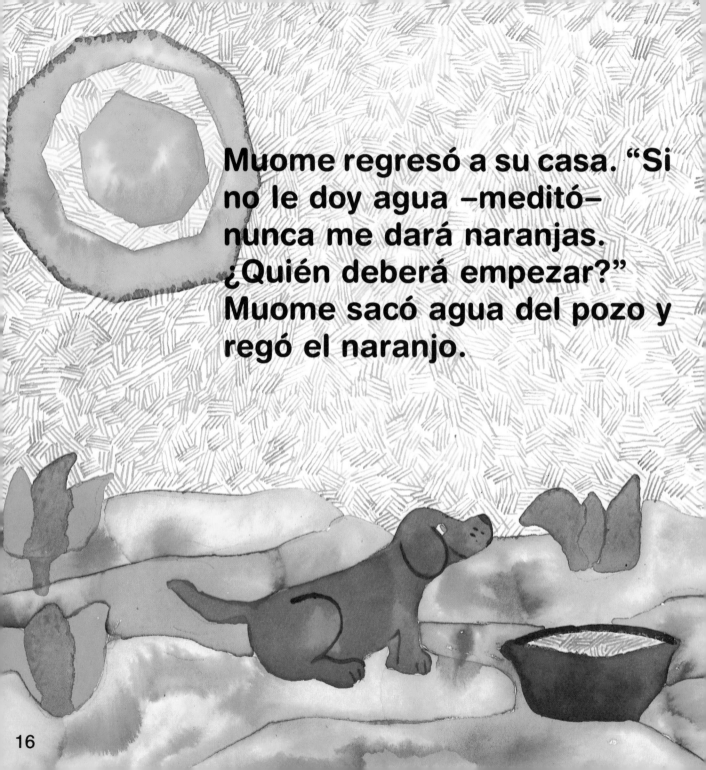

Muome regresó a su casa. "Si no le doy agua –meditó– nunca me dará naranjas. ¿Quién deberá empezar?" Muome sacó agua del pozo y regó el naranjo.

El árbol dio grandes y jugosos frutos que Muome disfrutaba con una gran sonrisa en la boca.

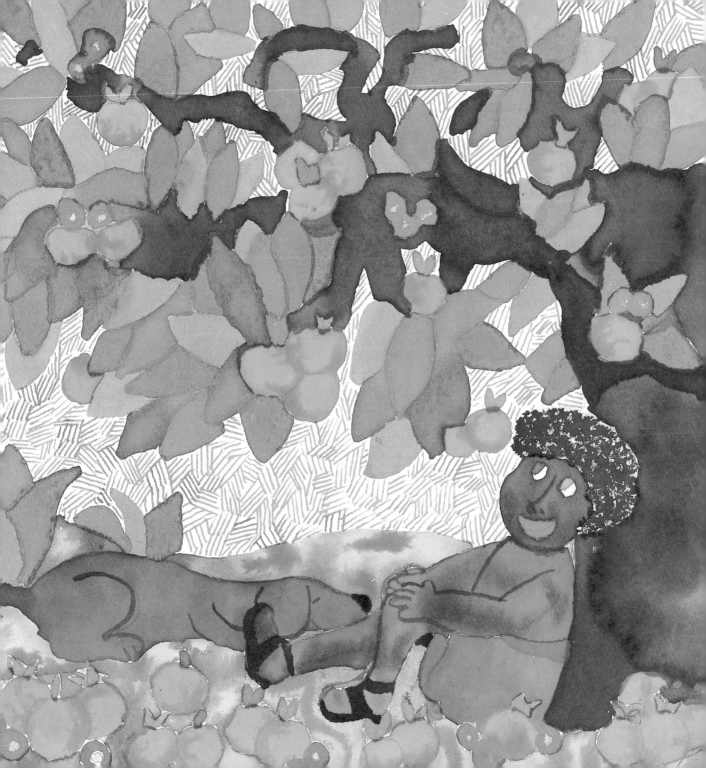

Los cuentos del abuelo

Zoraida, una de nuestras autoras, vivió en Mozambique durante algunos años. En ese hermoso país africano tuvo la oportunidad de conocer los cuentos que componen esta serie. Cuando quiso averiguar quiénes fueron los autores, le respondieron que no se conocían, que hasta hace unos años los cuentos eran trasmitidos principalmente por los ancianos, grandes contadores de cuentos.

Los abuelos mozambiqueños —y creemos que los de todo el mundo— acostumbraban contar historias a los jóvenes y niños. Pero la intención de los abuelos mozambiqueños no era sólo divertir, sino dar algunos consejos. En lugar de decirles: "esto no se hace", "esto sí se hace", les contaban historias cuyos personajes eran conejos, hipopótamos, gavilanes, gallinas y niños.

Cuando escuchaban estos cuentos, los jóvenes y los niños pensaban "qué inteligente es el conejo" o "yo nunca voy a hacer lo mismo que hacen las gallinas"

Con el paso de los años, los pueblos de África se fueron independizando y los jóvenes y los niños pudieron ir a las escuelas a aprender a leer y escribir. Las historias que antes sólo contaban los abuelos, ahora también se escriben en los libros.

Por eso, Julieta y Zoraida quisieron que esas narraciones, conocidas sólo por los niños mozambiqueños, llegaran a todos los niños de habla hispana. Con ellas obtuvieron en 1981 el premio "Antoniorrobles", que otorga IBBY, en la categoría de texto.